Le petit livre

AMORA®

CATHERINE QUEVREMONT
Photographies de Ilona Chovancova

MARABOUT

SOMMAIRE

KIT SALADES

SALADE D'ENDIVES

4 endives, 2 cuillerées à soupe de gruyère râpé, 1 cuillerée à soupe de moutarde de Dijon AMORA®, 1 pomme, 1 cuillerée à soupe d'huile d'olive, 1 cuillerée à café de vinaigre de vin blanc, sel, poivre

Couper les endives et la pomme en fines lamelles. Délayer la moutarde avec le vinaigre de vin blanc, saler, poivrer et ajouter l'huile d'olive. Verser la sauce sur les endives, ajouter le gruyère râpé et mélanger.

SALADE DE CHOU-FLEUR

1 chou-fleur, persil ciselé, 2 carottes blanchies, 2 cuillerées à soupe de moutarde de Dijon AMORA®, 2 cuillerées à soupe d'huile d'olive, ½ cuillerée à soupe de vinaigre de vin, sel, poivre

Éplucher le chou-fleur et le couper en petits bouquets. Le faire cuire 10 minutes dans de l'eau salée. Rafraîchir sous l'eau froide. Couper les carottes en lamelles. Délayer la moutarde avec le vinaigre, saler, poivrer et ajouter l'huile d'olive. Verser la sauce sur les légumes, mélanger et servir.

SALADE DE POMMES DE TERRE À L'ANETH & À LA MOUTARDE

600 g de petites pommes de terre à chair ferme, 1 bouquet d'aneth, 2 cuillerées à soupe de moutarde douce AMORA®, 5 cuillerées à soupe d'huile d'olive, 1 cuillerée à soupe de sauce soja, 1 cuillerée à soupe de vin blanc, 1 oignon rouge, sel, poivre

Faire cuire les pommes de terre 20 minutes à la vapeur, les éplucher et les couper en tranches. Ajouter l'aneth ciselé et l'oignon coupé en fines lamelles. Délayer la moutarde avec la sauce de soja et le vin blanc. Verser l'huile sans cesser de tourner, saler et poivrer. Verser la sauce sur les pommes de terre, mélanger et servir.

ARTICHAUTS EN SALADE

4 gros artichauts camus, 4 cuillerées à soupe de moutarde de Dijon AMORA®, 6 cuillerées à soupe d'huile d'olive, 1 cuillerée à soupe de vinaigre de cidre, sel, poivre

Ôter la queue des artichauts, les faire cuire 50 minutes à la vapeur. Délayer la moutarde avec le vinaigre, saler, poivrer et ajouter l'huile d'olive. Bien fouetter, la sauce doit ressembler à une mayonnaise. Servir les artichauts avec la sauce.

KIT RILLETTES

POUR 4 À 6 PERSONNES

RILLETTES DE SARDINES

8 sardines étêtées et vidées, 4 cuillerées à soupe d'huile d'olive, 2 oignons blancs frais, 2 cuillerées à soupe de moutarde de Dijon AMORA®

Griller les sardines à la poêle, avec 1 cuillerée à soupe d'huile d'olive. Les éplucher, ôter les arêtes et réserver les filets. Ecraser les sardines à la fourchette avec la moutarde, les oignons épluchés et coupés en deux. Saler, poivrer.

RILLETTES DE SAUMON

4 pavés de saumon de 150 g chacun, sans peau, 50 g de beurre doux, 1 cuillerée à soupe d'huile d'olive, 3 cuillerées à soupe de crème fleurette, 3 cuillerées à soupe de moutarde douce AMORA®, ½ cuillerée à café d'algues épicées pour court-bouillon, 4 branches d'aneth, sel, poivre

Huiler 4 feuilles de papier cuisson et y déposer les pavés de saumon. Saler et poivrer. Ajouter le beurre, l'huile d'olive et les algues. Bien fermer les papillotes et enfourner pour 20 minutes. Les mixer grossièrement avec le jus de cuisson, la crème fleurette, la moutarde et l'aneth.

RILLETTES DE MAQUEREAUX

4 maquereaux vidés, 4 cuillerées à soupe de moutarde de Dijon AMORA®, 1 verre de vin blanc sec, 2 branches de coriandre fraîche, sel, poivre, 1 cube pour court-bouillon

Préparer un court-bouillon avec le cube, saler et poivrer. Ajouter les maquereaux et faire cuire 7 à 8 minutes. Les égoutter et lever les filets. Ôter la peau et les arêtes. Mixer grossièrement les filets de maquereau avec la moutarde, 2 cuillerées à soupe de court-bouillon, le vin blanc et la coriandre effeuillée.

RILLETTES DE THON MARINÉS

1 escalope de thon de 300 g, 2 cuillerées à soupe de nuoc-mâm, 3 cuillerées à soupe de sauce yakitori, 3 cuillerées à soupe de moutarde de Dijon AMORA®, 1 cuillerée à soupe d'huile d'olive, 1 bouquet de cerfeuil, poivre du moulin

Placer le thon dans un plat creux, l'arroser de nuoc-mâm et de sauce yakitori et laisser mariner 2 heures en le retournant régulièrement. L'égoutter et le faire griller dans une poêle avec l'huile d'olive, 3 minutes sur la première face puis 2 minutes sur l'autre. Mixer grossièrement le thon avec la marinade, la moutarde, le poivre et le cerfeuil effeuillé.

KIT MACARONS

POUR 30 MACARONS

120 g de poudre d'amandes, 180 g de sucre glace, 4 blancs d'œufs, 50 g de sucre semoule, 4 cuillerées à soupe de moutarde douce AMORA®

Tamiser le sucre glace avec la poudre d'amandes. Battre les blancs d'œufs en versant petit à petit le sucre semoule. Verser le mélange poudre d'amandes-sucre glace sur les blancs en neige, ajouter la moutarde et mélanger délicatement. Remplir une poche à douille avec la préparation et répartir les demi-coques de macaron sur la plaque du four garnie de papier sulfurisé. Laisser croûter 1 heure à température ambiante. Enfourner dans un four préchauffé à 150 °C et faire cuire 12 minutes.

MACARONS AU SAUMON

200 g de saumon fumé, 25 cl de crème fleurette, poivre du moulin, aneth

Mixer finement le saumon fumé avec la crème, ajouter l'aneth ciselé et poivrer. Mettre une petite cuillerée de la préparation entre 2 coques de macaron.

MACARONS À LA BETTERAVE

1 betterave rouge cuite, 2 cuillerées à soupe de mascarpone, 1 cuillerée à café de cardamome en poudre, sel, poivre

Éplucher et mixer finement la betterave. Mélanger avec le mascarpone, saler, poivrer et saupoudrer de cardamome. Bien mélanger. Mettre une petite cuillerée de la préparation entre 2 coques de macaron.

MACARONS À LA CAROTTE

2 cuillerées à soupe de mascarpone, 1 carotte râpée finement, sel, poivre

Mélanger le mascarpone et la carotte râpée. Saler et poivrer. Mettre une petite cuillerée de la préparation entre 2 coques de macaron.

MACARONS AU PERSIL

1 bouquet de persil ciselé, 150 g de fromage frais de brebis, sel, poivre

Mélanger le fromage de brebis et le persil. Saler et poivrer. Mettre une petite cuillerée de la préparation entre 2 coques de macaron.

DIP DE LÉGUMES À LA MOUTARDE

10 MIN DE PRÉPARATION

POUR 4 PERSONNES

1 chou-fleur

2 carottes

4 oignons blancs

½ pied de céleri
en branches

1 botte de radis

200 g de tomates cerises

3 cuillerées à soupe
de moutarde de Dijon
AMORA®

4 cuillerées à soupe
de fromage blanc battu

sel, poivre

1- Laver puis éplucher les légumes. Couper les carottes en fins bâtonnets. Couper les oignons blancs en quatre. Découper le chou-fleur en petits bouquets.

2- Dans un bol, mélanger en fouettant le fromage blanc et la moutarde. Saler et poivrer.

3- Présenter les légumes dans un plat et la sauce à part.

TARTINADE DE FROMAGE FRAIS À LA MOUTARDE

15 MIN DE PRÉPARATION

POUR 4 PERSONNES

8 tranches de pain
de campagne

4 Carrés frais®

4 cuillerées à soupe
de moutarde de Dijon
AMORA®

1 botte de ciboulette

sel, poivre

1- Faire griller le pain de campagne.

2- Ecraser à la fourchette les Carré frais® puis les mélanger
àla moutarde. Saler et poivrer. Tartiner les tranches de pain
grillé de cette préparation et parsemer de ciboulette ciselée.

TUILES AU FROMAGE

20 MIN DE PRÉPARATION – 8 MIN DE CUISSON – 30 MIN DE REPOS

POUR 4 PERSONNES

250 g de gruyère râpé

6 cuillerées à soupe
de moutarde douce
AMORA®

2 avocats mûrs

le jus de 1 citron vert

2 oignons blancs

1 pomme

10 tomates cerises

sel, poivre

cannelle

piment d'Espelette

1- Préchauffer le four à 180 °C.
2- Dans un bol, mélanger la moutarde et le gruyère râpé.
Étaler la préparation en forme de ronds sur la plaque du four
préalablement garnie de papier sulfurisé.
3- Enfourner et faire cuire 7 à 8 minutes. Sortir du four
et laisser refroidir.
4- Écraser la chair des avocats et arroser de jus de citron vert.
Ajouter les oignons blancs finement ciselés.
5- Éplucher la pomme et la couper en dés. Couper les tomates
cerises en quatre.
6- Séparer le guacamole en deux parts. Mélanger une des
parts avec des dés de pomme et parfumer avec un peu
de cannelle. Mélanger le reste de guacamole avec les quartiers
de tomates cerises et saupoudrer d'un peu de piment
d'Espelette.
7- Enrouler les tuiles au fromage et les garnir avec l'une
ou l'autre des préparations à base de guacamole.

MAKI DE SURIMI, CONCOMBRE & MOUTARDE

20 MIN DE PRÉPARATION – 15 MIN DE CUISSON

POUR 4 PERSONNES

1 concombre

150 g de riz à sushi

3 cuillerées à soupe de moutarde de Dijon AMORA®

150 g de miettes de surimi

1- Faire cuire le riz comme indiqué sur le paquet.
2- Couper le concombre en tronçons de 15 cm puis à l'aide d'un économe, l'émincer en fines lamelles dans la longueur. Poser chaque lamelle de concombre sur le plan de travail.
3- Mélanger le surimi avec la moutarde.
4- Etaler une couche de riz sur le concombre puis une couche de surimi. Enrouler chaque lamelle de concombre sur elle-même et la maintenir fermée à l'aide d'un pic en bois.

FINANCIERS À LA MOUTARDE & THÉ MATCHA

15 MIN DE PRÉPARATION – 15 MIN DE CUISSON

POUR 15 GÂTEAUX

200 g de sucre glace

200 g de beurre fondu

50 g de farine

6 blancs d'œufs

100 g de poudre
d'amandes

50 g de poudre
de pistaches

6 cuillerées à soupe
de moutarde de Dijon
AMORA®

1- Préchauffer le four à 240 °C.

2- Dans un bol, mélanger la farine, le sucre glace, la poudre d'amandes et la poudre de pistaches. Incorporer les blancs d'œufs, un par un, en mélangeant bien. Verser le beurre fondu et la moutarde. Bien mélanger.

3- Verser la préparation dans des moules à financier sans les remplir complètement : le biscuit va gonfler en cuisant. Enfourner et faire cuire 5 minutes puis baisser la température du four à 200 °C et laisser cuire encore 10 minutes. Démouler à la sortie du four.

CHUTNEY À LA MOUTARDE

16 MIN DE PRÉPARATION – 45 MIN DE CUISSON

POUR 2 POTS À CONFITURE

2 courgettes

1 aubergine

1 poivron rouge

1 poivron jaune

1 poivron vert

1 gousse d'ail

3 cm de racine de gingembre

10 cl de lait de coco

2 cuillerées à soupe d'huile d'arachide

5 cuillerées à soupe de moutarde de Dijon AMORA®

sel, poivre

graines de coriandre

1- Laver les légumes. Détailler les courgettes en rondelles. Couper l'aubergine en dés et les poivrons en fines lamelles.
2- Faire chauffer l'huile dans une casserole, ajouter l'ail et le gingembre râpé puis laisser rissoler. Ajouter les légumes et les faire rapidement dorer. Verser le lait de coco et la moutarde. Saler, poivrer puis saupoudrer de graines de coriandre. Couvrir et laisser mijoter 40 minutes. Verser dans 2 pots à confiture.

PINA COLADA FIGUE & MOUTARDE

15 MIN DE PRÉPARATION

POUR 4 VERRES

1 pot de confiture
de figues

6 cuillerées à soupe
de crème liquide

4 cuillerées à soupe
de crème épaisse

4 cuillerées à soupe
de moutarde douce
AMORA®

le jus de 1 citron vert

4 cuillerées à soupe
de rhum blanc

1-Dans le bol d'un mixeur, verser les crèmes, la moutarde,
le jus de citron et le rhum. Mixer pour obtenir un mélange
crémeux et mousseux.
2-Dans les verres, déposer une bonne couche de confiture
de figues puis verser la crème à la moutarde et au rhum.
Servir bien frais.

SOUPE FROIDE PETITS POIS,
COURGETTES, MOUTARDE

20 MIN DE PRÉPARATION – 15 MIN DE CUISSON

POUR 4 PERSONNES

1 grosse pomme de terre

2 courgettes

4 cuillerées à soupe
de moutarde de Dijon
AMORA®

200 g de petits pois
surgelés

4 cuillerées à soupe
de crème fraîche épaisse

sel, poivre

1- Sortir les petits pois du congélateur.
2- Faire cuire la pomme de terre et les courgettes dans un grand volume d'eau salée. Egoutter les légumes et les mettre dans un grand bol. Ajouter les petits pois et donner quelques tours de moulin à poivre. Mixer le tout grossièrement pour garder quelques petits pois.
3- Mélanger la crème et la moutarde.
4- Verser dans 4 assiettes creuses et ajouter une bonne cuillerée à soupe de crème à la moutarde.

LAIT DE POULE MOUTARDÉ

10 MIN DE PRÉPARATION

POUR 4 PERSONNES

1 l de lait

4 jaunes d'oeuf

4 cuillerées à soupe de moutarde de Dijon AMORA®

poivre blanc

alcool fort (gin, rhum blanc, cognac) pour parfumer (facultatif)

1- Dans une casserole, faire chauffer le lait.
2- Dans le bol du mixeur, mettre les jaunes d'oeuf et la moutarde. Mixer en ajoutant progressivement le lait jusqu'à obtenir un mélange bien mousseux. Poivrer. Parfumer avec un peu d'alcool. Servir aussitôt.

WELSH RAREBIT

15 MIN DE PRÉPARATION – 5 MIN DE CUISSON

POUR 4 PERSONNES

4 tranches de pain de mie

4 tranches de cheddar

4 cuillerées à soupe
de crème fleurette

4 cuillerées à soupe
de moutarde de Dijon
AMORA®

50 g de beurre

poivre

1- Préchauffer le four à 180 °C.
2- Toaster les tranches de pain de mie puis les beurrer et les
couper en deux pour former des triangles. Couper les tranches
de cheddar de la même façon.
3- Mélanger la crème et la moutarde.
4- Dans des petits plats allant au four, disposer le pain
et le cheddar en les intercalant. Verser la crème à la moutarde
5- et donner quelques tours de moulin à poivre.
6- Enfourner et faire cuire jusqu'à ce que le fromage
commence à fondre. Servir aussitôt.

PETITS FLANCS DE LÉGUMES À LA MOUTARDE

15 MIN DE PRÉPARATION – 20 MIN DE CUISSON

POUR 4 FLANS

150 g de petits pois cuits

4 petites carottes cuites

100 g de haricots verts cuits

2 œufs

4 cuillerées à soupe de moutarde de Dijon AMORA®

6 cuillerées à soupe de crème fleurette

beurre

sel, poivre

1- Préchauffer le four à 180 °C.

2- Dans une casserole, faire cuire les légumes dans un grand volume d'eau salée. Les égoutter.

3- Fouetter la crème fleurette avec les œufs et la moutarde. Ajouter les légumes cuits puis saler et poivrer.

4- Beurrer et fariner 4 petits moules à bords hauts. Verser la préparation aux trois-quarts de la hauteur des moules.

5- Les faire cuire au bain-marie pendant 20 minutes. Laisser refroidir avant de démouler. Ces flans se dégustent froids ou tièdes, accompagnés d'une sauce à la crème légèrement moutardée.

ESPUMA À LA MOUTARDE

15 MIN DE PRÉPARATION – 15 MIN DE CUISSON – 15 MIN DE REPOS

POUR 8 VERRES

25 cl de crème fleurette

4 cuillerées à soupe
de moutarde douce
AMORA®

2 feuilles de gélatine

1 rouleau de pâte
feuilletée

poivre noir

1 jaune d'œuf

1- Préchauffer le four à 180 °C.

2- Faire ramollir les feuilles de gélatine 10 minutes dans
de l'eau froide.

3- Dans une casserole, faire chauffer la crème et la moutarde.
Ajouter les feuilles de gélatine essorées. Bien mélanger. Passer
cette préparation au chinois puis la verser dans un siphon.
Réserver le siphon 15 minutes au congélateur.

4- Pendant ce temps, étaler la pâte feuilletée et la couper
en bandes de 2 cm d'épaisseur. Badigeonner chaque bande
de pâte avec le jaune d'œuf battu dans un peu d'eau puis
saupoudrer de poivre noir.

5- Enfourner et faire cuire 10 minutes. Sortir du four
et laisser tiédir.

6- Sortir le siphon du congélateur et remplir les verres
de la préparation.

7- Servir aussitôt avec les allumettes feuilletées.

BARIGOULE DE PETITS LÉGUMES À LA MOUTARDE

15 MIN DE PRÉPARATION – 25 MIN DE CUISSON

POUR 4 PERSONNES

1 botte de petits navets

2 petits fenouils

4 petites courgettes

200 g de haricots verts

150 g de pois gourmands

6 petits oignons blancs

2 gousses d'ail

2 cuillerées à soupe
d'huile d'olive

3 branches de coriandre
fraîche

1 verre de vin blanc

25 cl de bouillon
de légumes

4 cuillerées à soupe
de moutarde de Dijon
AMORA®

sel, poivre

1- Eplucher les légumes et laisser la peau des courgettes.
2- Faire chauffer l'huile dans une casserole, puis y faire rissoler l'ail. Ajouter les légumes et les faire colorer rapidement. Mouiller avec le vin blanc et le bouillon de légumes. Saler, poivrer et ajouter la moutarde. Laisser cuire 20 minutes : il faut que les légumes restent légèrement croquants. Cette barigoule se déguste tiède ou froide.

TERRINE DE LÉGUMES À LA MOUTARDE

15 MIN DE PRÉPARATION – 50 MIN DE CUISSON

POUR 4 PERSONNES

150 g de petits pois

1 botte de petits oignons blancs

2 pommes de terre moyennes

5 petits bouquets de chou-fleur

150 g de haricots verts

1 tranche de jambon cuit

1 bouquet de ciboulette

4 cuillerées à soupe de ricotta

2 œufs

4 cuillerées à soupe de moutarde de Dijon AMORA®

sel, poivre

1 - Préchauffer le four à 180 °C.

2 - Faire blanchir les légumes 7 à 8 minutes dans un grand volume d'eau salée.

3 - Mixer le jambon.

4 - Dans un bol, mélanger la ricotta, les œufs et la moutarde. Saler et poivrer. Ajouter le jambon et les légumes.

5 - Verser la préparation dans une terrine. Enfourner et faire cuire au bain-marie pendant 40 minutes.

CAKE JAMBON & MOUTARDE

15 MIN DE PRÉPARATION – 45 MIN DE CUISSON

POUR 6 PERSONNES

150 g de farine

1 sachet de levure

10 cl d'huile de tournesol

12 cl de lait chaud

200 g de jambon coupé en tranches épaisses

4 cuillerées à soupe de moutarde de Dijon AMORA®

sel, poivre

1- Préchauffer le four à 180 °C.
2- Couper le jambon en dés.
3- Dans un bol, mélanger les œufs, la farine et la levure. Saler et poivrer. Verser l'huile, le lait puis la moutarde. Ajouter les dés de jambon.
4- Verser la préparation dans un moule à cake garni de papier sulfurisé. Enfourner et faire cuire 45 minutes.

TERRINE DE POT-AU-FEU À LA MOUTARDE

30 MIN DE PRÉPARATION – 10 MIN DE CUISSON – 4 H DE REPOS

POUR 4 PERSONNES

700 g de reste
de pot- au-feu
avec son bouillon

2 carottes

1 bouquet de persil

4 cuillerées à soupe
de moutarde de Dijon
AMORA®

1 feuille de gélatine

sel, poivre

1- Faire cuire les carottes dans un grand volume d'eau salé.
2- Faire ramollir la feuille de gélatine 10 minutes dans de l'eau froide.
3- Dans une casserole, réchauffer le bouillon du pot-au-feu et ajouter la gélatine essorée. Découper la viande du pot-au-feu en petits dés.
4- Laver et ciseler le persil puis le mélanger à la moutarde. Saler et poivrer.
5- Dans le fond d'une terrine, verser un peu de bouillon. Disposer une bonne couche de viande et recouvrir avec les carottes. Recouvrir d'une couche de persil à la moutarde. Ajouter le reste de la viande. Terminer en arrosant le tout de bouillon. Couvrir la terrine avec son couvercle et réserver 4 heures minimum au réfrigérateur. Cette terrine peut se déguster avec une mayonnaise bien moutardée.

SAUTÉ DE JOUES DE PORC À LA MOUTARDE
& PETITS NAVETS

15 MIN DE PRÉPARATION – 1 H DE CUISSON

POUR 4 PERSONNES

8 joues de porc

2 cuillerées à soupe
d'huile d'olive

2 gousses d'ail

1 oignon

15 cl de vin blanc

6 cuillerées à soupe
de moutarde de Dijon
AMORA®

2 bottes de petits navets

sel, poivre

1- Émincer l'ail et l'oignon.
2- Dans une cocotte, faire chauffer l'huile d'olive puis y faire
revenir l'ail et l'oignon émincés. Ajouter les joues de porc
et les faire dorer sur toutes les faces.
3- Mouiller avec le vin blanc, saler, poivrer, ajouter la moutarde
et mélanger. Monter à petits bouillons puis baisser le feu
et faire cuire 1 heure.
4- À mi-cuisson, ajouter les petits navets. Vérifier qu'il y
ait suffisamment de jus pendant la cuisson, sinon ajouter
un peu d'eau tiède.

CRUMBLE POULET À LA MOUTARDE

15 MIN DE PRÉPARATION – 30 MIN DE CUISSON

POUR 4 PERSONNES

POUR LE POULET

**600 g de poulet rôti
ou 4 blancs de poulet**

**6 cuillerées à soupe
de crème épaisse**

**6 cuillerées à soupe
de moutarde de Dijon
AMORA®**

sel, poivre

POUR LE CRUMBLE

½ baguette de pain rassis

100 g de beurre fondu

**4 cuillerées à soupe
de moutarde de Dijon
AMORA®**

1- Préchauffer le four à 180 °C.

2- Couper le poulet cuit en fines lamelles. Pour les blancs de poulet, les faire cuire soit à la poêle, soit pochés dans un bouillon de poule.

3- Mélanger la crème et la moutarde.

4- Dans un plat creux allant au four, mettre les lamelles de poulet puis verser la sauce crème-moutarde.

5- Mixer la baguette rassie. Mélanger les miettes de pain avec le beurre fondu et la moutarde. Etaler ce mélange sur le poulet. Enfourner et faire cuire 30 minutes.

44

TARTARE DE BŒUF À LA MOUTARDE

20 MIN DE PRÉPARATION

POUR 4 PERSONNES

600 g de filet de bœuf
coupé au couteau

1 pot de câpres

quelques grosses câpres

4 oignons blancs

2 jaunes d'œufs

2 cuillerées à soupe de
sauce Worcestershire®

3 cuillerées à soupe
de moutarde AMORA®

1 trait de Tabasco®

1 cuillerée à soupe
d'huile d'olive

sel, poivre

1- Émincer finement les oignons blancs.
2- Dans un bol, mettre le bœuf coupé avec l'huile d'olive
et bien mélanger pour enrober la viande. Ajouter la sauce
Worcestershire®, le Tabasco®, les oignons émincés,
la moutarde, les jaunes d'œufs, les petites câpres
et mélanger vivement. Saler et poivrer.
3- Disposer le tartare dans 4 assiettes et décorer avec
quelques grosses câpres.

GRILLADE DE BŒUF MARINÉ À LA MOUTARDE

15 MIN DE PRÉPARATION – 10 MIN DE CUISSON – 30 MIN DE MACÉRATION

POUR 4 PERSONNES

600 g de filet de bœuf
coupé en lamelles
de ½ cm d'épaisseur

6 cuillerées à soupe
de sauce soja sucrée

3 cuillerées à soupe
de sauce soja salée

4 cuillerées à soupe
de moutarde de Dijon
AMORA®

poivre du moulin

1- Mélanger les sauces soja et la moutarde. À l'aide d'un pinceau, recouvrir chaque lamelle de bœuf de cette sauce. Réserver au réfrigérateur pendant 30 minutes.

2- Huiler légèrement un gril en fonte et faire cuire les lamelles de viande. Poivrer.

3- Servir la grillade accompagnée d'une salade verte et de petites tomates cerises.

PAPILLOTES DE LAPIN À LA MOUTARDE

10 MIN DE PRÉPARATION – 40 MIN DE CUISSON

POUR 4 PERSONNES

4 pattes arrière de lapin

2 courgettes

½ poivron rouge

½ poivron vert

1 aubergine

4 cuillerées à soupe de moutarde de Dijon AMORA®

100 g de beurre

sel, poivre

1 - Préchauffer le four à 180 °C.

2 - Laver les courgettes et l'aubergine puis les couper en dés. Emincer les poivrons en lamelles.

3 - Couper 4 feuilles de papier sulfurisé. Sur chaque feuille, disposer 1 patte de lapin. Les napper de moutarde, saler et poivrer. Répartir les légumes tout autour. Ajouter quelques morceaux de beurre. Bien refermer les papillotes.

4 - Poser les 4 papillotes dans un plat allant au four. Enfourner et faire cuire 40 minutes.

POULET À LA MOUTARDE

15 MIN DE PRÉPARATION – 1 H 30 DE CUISSON

POUR 4 À 6 PERSONNES

1 poulet fermier

1 kg de pommes de terre

100 g de beurre

2 cuillerées à soupe d'huile d'olive

25 cl de bouillon de volaille

6 cuillerées à soupe de moutarde de Dijon AMORA®

sel, poivre

1- Préchauffer le four à 200 °C.

2- Éplucher les pommes de terre et les couper en deux ou en quatre selon leur grosseur. Les disposer dans le fond d'une cocotte en fonte graissée d'huile d'olive. Saler et poivrer. Poser le poulet sur les pommes de terre et l'enduire de beurre. Enfourner et faire cuire 15 minutes, le temps que la peau du poulet commence à griller.

3- Délayer la moutarde dans le bouillon de volaille.

4- Baisser le four à 180 °C. Enduire régulièrement le poulet avec la sauce moutardée. Petit à petit, une croûte de moutarde va se former sur le poulet. Laisser cuire 1 h 15. Veiller à bien arroser les pommes de terre pour qu'elles ne dessèchent pas.

MAQUEREAUX EN CROÛTE DE SEL

20 MIN DE PRÉPARATION – 30 MIN DE CUISSON

POUR 4 PERSONNES

4 maquereaux vidés

8 cuillerées à soupe
de moutarde de Dijon
AMORA®

1 cuillerée à soupe
de farine

500 g de gros sel marin

1 - Préchauffer le four à 160 °C.

2 - Dans un bol, mélanger la farine, la moutarde et le gros sel jusqu'à former une pâte.

3 - Enrober les maquereaux de cette pâte salée.

4 - Poser les maquereaux sur la plaque du four préalablement garnie de papier sulfurisé. Enfourner et faire cuire 30 minutes. Déguster à la sortie du four. Casser la croûte de sel pour trouver un maquereau cuit à point, légèrement iodé et relevé.

SARDINES À LA MOUTARDE

15 MIN DE PRÉPARATION – 20 MIN DE CUISSON

POUR 4 PERSONNES

8 sardines vidées

8 cuillerées à soupe
de moutarde de Dijon
AMORA®

2 cuillerées à soupe
d'huile d'olive

sel, poivre

1- Préchauffer le four à 180 C.
2- Laver les sardines et les éponger dans du papier absorbant.
3- Poser les sardines sur la plaque à four préalablement garnie
de papier sulfurisé.
4- Mélanger l'huile d'olive et la moutarde. A l'aide d'un pinceau,
enduire chaque sardine de ce mélange. Saler et poivrer.
Enfourner et faire cuire 20 minutes en enduisant régulièrement
les sardines d'huile à la moutarde. On peut également cuire
ces sardines à la poêle, 8 minutes d'un côté et 5 minutes
de l'autre.

HARENG MARINÉ À LA MOUTARDE

20 MIN DE PRÉPARATION – 4 H DE REPOS

POUR 4 PERSONNES

8 filets de hareng doux
fumés au bois de chêne

4 cuillerées à soupe
d'huile de tournesol

6 cuillerées à soupe
de moutarde douce
AMORA®

1 cuillerée à soupe
de sauce soja sucrée

2 oignons rouges

1 bouquet d'aneth

poivre

1- Sortir les filets de hareng du paquet, les essuyer
et les disposer dans un plat creux.

2- Mélanger l'huile, la moutarde et la sauce soja.

3- Éplucher les oignons et les couper en fines lamelles.
Effeuiller l'aneth.

4- Verser la sauce sur les filets de hareng puis ajouter l'aneth
et les lamelles d'oignons rouges. Donner quelques tours
de moulin à poivre.

5- Laisser mariner 4 heures minimum au réfrigérateur. Servir
les filets de hareng accompagnés d'une salade de pommes
de terre tièdes.

CEVICHE DE CABILLAUD

20 MIN DE PRÉPARATION – 2 H DE REPOS

POUR 4 PERSONNES

400 g de filets
de cabillaud

le jus de 2 citrons verts

4 cuillerées à soupe
de moutarde de Dijon
AMORA®

1 oignon rouge

2 oignons blancs

¼ de poivron rouge

¼ de poivron vert

3 cm de racine
de gingembre

2 cuillerées à soupe
d'huile d'olive

sel, poivre

1- Laver et éponger le cabillaud puis le couper en lamelles de
½ cm d'épaisseur. Les disposer dans le fond d'un plat creux.
2- Mélanger la moutarde avec le jus des citrons. Râper
le gingembre et l'ajouter à la sauce.
3- Verser la sauce sur le cabillaud.
4- Couper les poivrons et les oignons en fines lamelles
puis les disposer sur la lotte. Saler et poivrer.
5- Laisser mariner 2 heures au réfrigérateur. Au moment
de servir, arroser le plat d'un filet d'huile d'olive.